Marilou grignote tout le temps

Avec la collaboration
de Renaud de Saint Mars

Série dirigée par Dominique de Saint Mars

Ainsi va la vie

Marlène grignote tout le temps

Dominique de Saint Mars

Serge Bloch

CALLIGRAM

CHRISTIAN GALLIMARD

7

8

On dirait Pompon quand il a fugué trois jours !

Euh, j'arrivais pas à dormir... un petit creux !

Mais t'avais encore faim ?

Souvent, j'ai ENVIE de quelque chose...

... et tu ne sais pas de quoi !

Je n'arrive pas à m'en empêcher, c'est plus fort que moi !

Bon, moi, j'ai BESOIN de dormir, allez viens !

13

Dis, ça fait ton troisième « tigre » !

Ça cale... pour ne pas avoir mal au cœur ! Et c'est trop bon !

C'est pas ça qui va diminuer tes fesses !

ENFIN, MMMMAAAX ! Ce que tu es lourd !

Surtout ça ne rassasie pas ! Et vous aurez faim dans une heure. Grignoter, ça fait grossir...

Moi aussi, je fais attention... le moindre chocolat et hop les fesses !

Moi, je voudrais bien grossir ! On n'est pas égaux devant les kilos ! C'est comme pour les maths !

14

Oui, c'est pas juste ! Ils me narguent tous à la récré avec leurs chips et leurs biscuits !

J'ai trouvé ta mère vraiment gentille !

Gentille mais maladroite. Sans faire exprès, elle me dit des mots qui me font mal.

Oui, je m'en suis rendue compte...

Et elle n'aime pas quand je ne suis pas là. Ça m'embête !

Tu as l'air de t'inquiéter pour elle, tu as peur qu'elle manque encore de tendresse ?

Peut-être, mais parfois, je suis fâchée contre elle...

Faut pas s'inquiéter pour les parents, ils sont grands et responsables !

Oui, justement... Arrêtez de manger n'importe quoi ! Donnez-moi ce sac !

De toute façon, on va bouger, nager, courir et ne manger que des bonnes choses !

Et, là-bas, ceux qui arrivent avec du ventre repartent avec du muscle.

Et ceux qui arrivent déjà avec du muscle ?

18

Lili ? Je ne savais pas que vous étiez revenus ! C'était génial, l'année dernière !

Super ! Marlène et moi, on a aperçu ta soeur, une vraie star !

Elle sait trop qu'elle est belle !

Et toi, t'es la copine de Lili ?

Je... euh... je suis sa plus vieille copine.

« Lili-Marlène », la chanson préférée de Grand-père.

Vous venez manger une gaufre au club ?

Euh... tout à l'heure... d'abord on nage ! On n'est pas venues ici pour grossir, hein Marlène !

20

C'est ça, allez vous faire des grosses fesses avec vos petites gaufres. J'ai trop honte, surtout de la mère dodue !

Max, fiche le camp ! Tu n'as pas le droit !

C'est vrai, Max, tu exagères ! Mais, les filles, prenez plutôt ces prunes et du chocolat.

Bon, allez, c'était pour rire !

C'est jamais pour être méchant ! Mais tu crois que je n'en souffre pas assez ?

Oui, c'est pas drôle pour elle !

Oui, mais la seule personne qui l'oblige à grignoter tout le temps, c'est ELLE !

23

24

Mais qu'est-ce que vous faites ?

On s'est privés... pour t'aider...

Mais on a faim ! On est frustrés !

Ça, c'est dur de se priver ! Ah, un bon petit yaourt ! Attention, si vos parents nous entendent...

Pas grave ! Ça va les faire rire !

26

Télévision et Grignotage ! Voilà la catastrophe. Les pubs vous font saliver et vous transforment en hamsters drogués !

Mais ils disent que c'est plein de vitamines et que t'es superman à la récré !

Tout ça c'est pour vendre ! Les fabricants s'en moquent si les enfants grossissent !

C'est vrai, on ne voit jamais d'enfants trop gros dans les pubs !

Mais on peut regarder le film quand même ?

Non, j'ai envie de vous voir et de vous parler !

On est ta télé, quoi !

Beaucoup mieux ! Allez, venez m'aider !

29

30

Mais pourquoi on grossit ?

La machine a besoin d'être nourrie pour produire de l'énergie et on grossit si on mange plus qu'on ne dépense...

C'est surtout le gras qu'on ne brûle pas, on le garde en réserve, un vieux réflexe contre la famine !

Mangez doucement, les enfants, profitez, c'est délicieux...

Avant les hommes ne restaient jamais assis toute la journée...

Moi, je ne suis pas fait pour ça non plus !

31

Pendant des millions d'années les hommes ont vécu dans le froid. Nous, on vit dans des maisons surchauffées, on a des vêtements chauds...

Et, il n'y a pas si longtemps, les enfants marchaient des kilomètres pour aller à l'école !

Alors, vous croyez que tout le monde va devenir gros ?

Pas si on fait DU FOOT !

An apple a day keeps the doctor away*.

* Manger une pomme par jour, ça éloigne le docteur.

Quand je pense que, nous, on lutte pour pas trop manger.

Certains achètent même des médicaments pour maigrir.

... alors qu'il y en a qui luttent pour avoir à manger !

Oui, c'est le terrible déséquilibre entre pays pauvres et pays riches, et qui ne peut plus durer.

Papa, on va toujours sur les rochers, demain ? T'avais promis !

Et c'est le dernier jour de Marlène !

Vous croyez que j'y arriverai, moi... ?

33

34

Papa, j'ai le vertige !
PAPAAA !

Attends, je me mets en-dessous !

N'aie pas peur !

Ça va, mon lapin ?

Tu as de l'équilibre, Marlène, et du courage ! Et toi aussi, Lili, bravo !

Ah, je suis essouflée et j'ai mal aux genoux. Ah, si j'étais plus légère !

Quel cabri, celle-là !
On en fera une alpiniste !
Je suis fier de toi, ma Lili !

BOUH, BOUH,

... personne ne me
dit ça, mon père,
il ne veut pas de moi !
BOUH, BOUH... il ne me
connaît même pas !

BOUH... il ne répond pas
à mes lettres, bouh...

Mais tu n'as jamais vécu
avec ton père et ta mère
ensemble ?

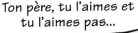

Ton père, tu l'aimes et tu l'aimes pas...

Oui, ça me fait la guerre là-dedans !

Tu ne m'as jamais parlé de ton père... ni de ta mère ?

Je ne voulais pas t'embêter...

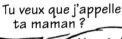

Tu veux que j'appelle ta maman ?

Non, je lui parlerai... mais j'aimerais bien que vous soyez amies !

Tu sais qu'elle a été formidable ! Je suis fier de toi, Marlène !

Elle m'a caché le vide, j'avais moins peur...

39

Et je me demande même si tu n'es pas plus légère qu'avant !

Pourtant, j'ai mangé normalement. Mais peut-être que j'ai le cœur moins lourd !

Hé, ça suffit les câlins, les autres nous attendent sur la plage !

Tu viens avec nous, Max ?

Et toi...

Est-ce qu'il t'est arrivé la même histoire qu'à Marlène ?

Tu manges trop ? Tu voudrais maigrir ? Ça t'ennuie pour les copains, le sport, les vêtements ? Vois-tu un médecin ou un psy

Manger, ça te ravigote ? Ça remplace un manque ? Ça te fait plaisir ? Ça calme ton anxiété ? Ça t'occupe ? Ça te venge ?

Chez toi, on est « rond » ? On dit que c'est de famille ? On te donne à manger au lieu de t'écouter ? Tu manges en cachette ?

On te compare, on se moque de toi ? Tu en souffres, tu en veux aux autres ? Tu ris jaune ? Tu t'isoles ? Tu tapes ? Tu manges ?

u te vois dans le regard des autres, tu ne t'aimes pas ? Voudrais-tu qu'ils s'intéressent plus à ton intelligence qu'à ton physique ?

Est-ce que tu aimes ton corps ? Ou tu le trouves moche ? Tu as honte ? Tu le croirais si on disait que tu es beau ?

Es-tu normal ou maigre ? As-tu minci en mangeant autrement,
en le décidant, en parlant de tes soucis, en tombant amoureux ?

On t'a appris à te nourrir de façon équilibrée ?
On t'aide à faire attention ? Ton corps est-il ton ami ?

Sais-tu à quel moment tu as assez mangé, selon tes besoins
pour vivre ? Et quand cela devient de la pure gourmandise ?

On t'aide à être sûr de toi ? Tu n'as pas peur de dire tes envies, tes colères ? Tu te trouves d'autres plaisirs ?

Connais-tu des enfants trop gros ? Oses-tu leur en parler ? Trouves-tu que c'est de leur faute ? que c'est dégoûtant ?

T'en moques-tu ? Laisses-tu faire les moqueries ? Trouves-tu ça cruel ? Et toi, as-tu des problèmes dont on se moque ?

Petits conseils anti-rondeurs
De Max et Lili

- Marche une demi-heure par jour ! N'avale pas plus d'énergie que tu n'en dépenses ! Fais plus d'exercice que d'écran !
- Ne te ressers pas ! Diminue tes rations !
- Moins on mange de sucre, moins on en a envie ! Fais-en l'expérience !
- Mange à des heures régulières : le corps se prépare aux repas et digère mieux ! Il ne se souvient pas de ce qu'il a grignoté.
- Ne mange pas trop vite pour avoir le temps de te sentir rassasié.
- Ne bois que de l'eau ! Arrête toutes les boissons sucrées.
- Dîne tôt, quand tu as faim, pour ne pas grignoter !
- Mange 3 produits laitiers et au moins 5 fruits ou légumes par jour !
- Mange à chaque repas des sucres lents comme les sportifs : pâtes ou riz ou lentilles ou pommes de terre, ou pain.
- Mange de la viande, du poisson ou des œufs une ou deux fois par jour.
- Évite les sucres et les graisses des gâteaux, croissants, petits pains, barres chocolatées, bonbons, glaces.
- Évite les mauvaises graisses des biscuits salés, saucisson, cacahuettes, chips, frites sauf pour les anniversaires !
- Va chez des copains pour ne pas rester seul après l'école.
- Si tu as le choix, préfère les jeux, les escaliers, la marche à pied plutôt que la télé, la voiture, l'ascenseur !
- Avec ta famille, économisez l'argent des biscuits, bonbons, sodas pour vous offrir un cadeau ou une sortie !
- Parle de tes soucis pour ne pas être seul avec ton envie de manger.